SYMPHONY NO.1

DAVID DIAMOND

FOR LARGE ORCHESTRA

FULL SCORE . . . .)

(Orchestra Parts

SOUTHERN MUSIC PUBLISHING CO. INC. NEW YORK

Sole representative in the Eastern Hemisphere except Australasia and Japan:

PEER MUSIKVERLAG G.M.B.H. HAMBURG

SYMPHONY NO.1

DAVID DIAMOND

For Large Orchestra

SOUTHERN MUSIC PUBLISHING CO. INC. NEW YORK
Sole representative in the Eastern Hemisphere except Australasia and Japan:
PEER MUSIKVERLAG G.M.B.H. HAMBURG

INSTRUMENTATION

Piccolo (Flute III)
2 Flutes
2 Oboes
English Horn
2 B♭ Clarinets
B♭ Bass Clarinet
2 Bassoons
Contrabassoon

4 F Horns
3 C Trumpets
3 Trombones
Tuba

Timpani

Tubular Bells, Bass Drum, Cymbals

Violins I
Violins II
Violas
Violoncellos
Contrabasses

DURATION: About 21 minutes

The world premiere was on 21 December, 1941 by the New York Philharmonic-Symphony, Dimitri Mitropoulos, conductor.

To
Katherine Anne Porter

Symphony No. 1

I

DAVID DIAMOND
(1940-1941)

5
(2
+ 3
)
Picc.
I
Fls.
II
8va
I
Obs.
II
a 2
Eng. Hn.
I
B♭ Clars.
II
B♭ Bs. Clar.
I
Bsns.
II
Cbn.
I. II
F Hns.
III. IV
I. II
C Trpts.
III
I. II
Trbs.
III
Tuba
Timp.
Tub.
Bells
I
Vlns.
II
Vlas.
div.
Vlcs.
Cbs.

(2 + 3
Picc.
I Fls. II
a 2
I Obs. II
a 2
Eng. Hn.
I Clars. II
a 2
Bs. Clar.
I Bsns. II
a 2
Cbn.
I.II F Hns. III.IV
a 2
I.II Trpts. III
I.II Trbs. III
a 2
sf
Tuba
sf
Timp.
ff
Tub. Bells
f
(2 + 3)
I Vlns. II
Vlas. div.
Vlcs.
Cbs.

10
Picc.
I
Fls.
II
I
Obs.
II
Eng.Hn.
I
B♭ Clars.
II
B♭ Bs. Clar.
I
Bsns.
II
Cbn.
I.II
F Hns.
III.IV
I.II
C Trpts.
III
I.II
Trbs.
III
Tuba
Timp.
Tub.
Bells
10
I
Vlns.
II
Vlas.
Vlcs.
Cbs.
ff
a 2
div.
unis.

Poco meno mosso (♩=126)
15
Picc.
I Fls. II
ben cantando
I°
mf
I Obs. II
Eng. Hn.
p
II°
I Clars. II
B.Clar.
I°
pp
I Bsns. II
Cbn.
II Hns. IV
II Trpts. II
I.II Trbs. III
Tuba
Tub. Bells
Poco meno mosso (♩=126)
15
I Vlns. II
pizz.
Vlas.
mf ben cantando
Vlcs.
Cbs.

20
cresc.
I Fls. II
Obs. I
Eng. Hn.
I
B♭ Clars.
II
B♭ Bs. Clar.
Bsn. I
Cbn.
I II
F Hns.
III, IV
I, II
C Trpts.
III
I, II
Trbs.
III
Tuba
Tub. Bells
p
mp
20
cresc.
I
Vlns.
II
Vlas.
Vlcs.
Cbs.

25
Picc.
I
Fls.
II
a 2
ff
I
Obs.
II
a 2
f
sff
Eng. Hn.
f
sff
(a 2)
I
B♭ Clars.
II
a 2
ff
♭ Bs. Clar.
f
ff
(a 2)
I
Bsns.
II
f
ff
Cbn.
I.II
F Hns.
III.IV
a 2
ff
sff
I.II
C Trpts.
III
1°
f
I.II
Trbs.
III
Tuba
25
ben cantando
I
Vlns.
II
arco
div.
unis.
0
ff
sff
Vlas.
ff ben cantando
Vlcs.
arco
f
ff
arco
Cbs.

30
Picc.
I
Fls.
II
I
Obs.
II
Eng. Hn.
I
B♭ Clars.
II
B♭ Bs. Clar.
I
Bsns.
II
Cbn.
I.II
F Hns.
III. IV
I. II
Trpts.
III
I. II
Trbs.
III
Tuba
I
Vlns.
II
Vlas.
Vlcs.
Cbs.
a 2
sff
ff
f
(f)

35
Picc.
I Fls. II
I Obs. II
Eng Hn.
I B♭ Clars. II
B♭ Bs. Clar.
I Bsns. II
Cbn.
I.II F Hns. III.IV
I.II C Trpts. III
I.II Trbs. III
Tuba
Timp.
Tub. Bells
I Vlns. II
Vlas.
Vlcs.
Cbs.
ff
a 2
mf
f
div.
cresc.

40
Picc.
I
Fls.
II
a 2
ff
I
Obs.
II
Eng. Hn.
I
B♭ Clars.
II
B♭ Bs. Clar.
I
Bsns.
II
Cbn.
I.II
F Hns.
III.IV
I.II
C Trpts.
III
I.II
Trbs.
III
Tuba
Timp.
Change
40
I
Vlns.
II
Vlas.
div.
Vlcs.
Cbs.

45
Picc.
Fls.
I
Obs.
II
Eng. Hn.
I
B♭ Clars.
II
Bs. Clar.
I
Bsns.
II
Cbn.
I.II
F Hns.
III.IV
I.II
C Trpts.
III
I.II
Trbs.
III
Tuba
45
I
Vlns.
II
Vlas.
div.
Vlcs.
Cbs.
ff
a 2
f

50
Picc.
I
Fls.
II
I
Obs.
II
Eng. Hn.
I
B♭ Clars.
II
B♭ Bs. Clar.
I
Bsns.
II
Cbn.
I.II
F Hns.
III.IV
a 2
I.II
C Trpts.
III
ff
a 2
I.II
Trbs.
III
Tuba
50
div.
unis.
I
Vlns.
II
Vlas.
Vlcs.
Cbs.

55
(Change to Flute III)
Picc.
I Fls. II
I Obs. II
a 2
Eng. Hn.
ff
I ♭ Clars. II
Bs. Clar.
I Bsns. II
Cbn.
I. II
F Hns.
III. IV
I. II
C Trpts.
III
f
I. II
Trbs.
III
Tuba
I
Vlns.
II
div.
unis.
Vlas.
Vlcs.
Cbs.

60
Flt. III
I Fls. II
I Obs. II
Eng. Hn.
I B♭ Clars. II
B♭ Bs. Clar.
I Bsns. II
Cbn.
I. II
F Hns.
III. IV
I. II
C Trpts.
III
I. II
Trbs.
III
Tuba
Timp.
I
Vlns.
II
Vlas.
Vlcs.
Cbs.
fff
ff
fp
a 2
p
ff secco
mp

65
cresc. poco a poco
molto
(Change to Picc.)
ff
Change (b♭ to b♮)

70
75
Picc.
I
Fls.
II
a 2
I
Obs.
II
Eng. Hn.
I
B♭ Clars.
II
B♭ Bs. Clar.
I
Bsns.
II
Cbn.
I.II
F Hns.
III.IV
II°
Solo
cant., semplice mente
I
cresc. poco a poco
C Trpts. II
III
I.II
Trbs.
III
Tuba
Timp.
70
75
I
Vlns.
II
div.
Vlas.
Vlcs.
Cbs.

80
Picc.
I Fls. II
I Obs. II
Eng. Hn.
I Clars. II
Bs. Clar.
I Bsns. II
Cbn.
I.II F Hns. III.IV
I Trpts. II III
I.II Trbs. III
Tuba
Timp.
Change
to
I Vlns. II
Vlas.
Vlcs.
Cbs.
unis.
pizz.

85
I
Vlns.
II
mf
arco
Vlas.
mf
pizz.
Vlcs.
p
Cbs.
90
poco allarg.
a tempo
8va
cresc.
f
f
mf
f
cresc.
arco
mf
f
f
95
I
Bsns.
II
a 2
ff
Cbn.
8va
loco
8va
dim.
div.
cresc.
ff
dim.
unis.
cresc.
ff
div.
unis.
dim.
cresc.
ff
dim.
cresc.
ff
Vlcs.
div.
dim.
cresc.
ff
arco
ff

100
Picc.
I
Fls.
II
a 2
f
I
Obs.
II
f
a 2
ff sost.
Eng. Hn.
f
I
Clars.
II
a 2
ff sost.
B. Clar.
ff sost.
I
Bsns.
II
ben sostenuto
Cbn.
I.II
Hns.
III.IV
a 2
mf
f
I.II
Trpts.
III
I°
f ben sost.
I.II
Trbs.
III
I°
f ben sost.
Tuba
100
I
Vlns.
II
ben sostenuto
ben sostenuto
Vlas.
ben sostenuto
unis.
Vlcs.
ben sostenuto
Cbs.

105
Picc.
I
Fls.
II
a 2
ff
mf cresc.
I
Obs.
II
Eng. Hn.
I
B♭ Clars.
II
B♭ Bs. Clar.
I
Bsns.
II
Cbn.
I.II
F Hns.
III.IV
f
ff
a 2
(I°)
I.II
C Trpts.
III
II°
I.II
Trbs.
III
Tuba
I
Vlns.
II
Vlas.
Vlcs.
Cbs.

110
Picc.
I
Fls.
II
I
Obs.
II
I
Clars.
II
Hns.
Tuba
imp.
a 2
ff
f
Change
to
110
I
II
ff

115
Picc.
ff
a 2
I
Fls.
II
ff
I
Obs.
II
a 2
Eng. Hn.
I
B♭ Clars.
II
a 2
B♭ Bs. Clar.
I
Bsns.
II
Cbn.
I.II
F Hns.
III.IV
I.II
C Trpts.
III
I.II
Trbs.
III
Tuba
Timp.
D to E)
ff
115
I
Vlns.
II
div.
div.
unis.
Vlas.
Vlcs.
Cbs.

120
cresc.
agitando un po' (♩=132)
ff
Picc.
I Fls. II
8va
mf
I Obs. II
a 2
Eng. Hn.
I B♭ Clars. II
B♭ Bs. Clar.
I Bsns. II
Cbn.
I.II F Hns. III.IV
I.II C Trpts. III
I.II Trbs. III
Tuba
Timp.
I Vlns. II
unis.
non div.
Vlas.
div.
Vlcs.
Cbs.

Poco meno mosso (♩=126)
125
130
Picc.
I Fls. II
I Obs. II
Eng. Hn.
I B♭ Clars. II
B♭ Bs. Clar.
I Bsns. II
Cbn.
I.II F Hns. III.IV
I.II C Trpts. III
I.II Trbs. III
Tuba
Timp.
Tub. Bells
I Vlns. II
Vlas.
Vlcs.
Cbs.
8va
a 2
I°
Solo I° cant. ed espressivo
ten.
Change (♩ to ♩)
non div.
unis.
div.
pizz. unis.

135
Solo cant.
Ob. I
Bsn. I
cantando
I
Vlns.
II
pizz.
arco
Vlas.
Vlcs.
pizz.
Cbs.
140
Eng. Hn.
Clars.
I°
a 2
cresc.
Bs. Clar.
Bsns.
Cbn.
f

145
Picc.
I
Fls.
II
a 2
ff
I
Obs.
II
a 2
ff
sff
Eng. Hn.
I
B♭ Clars.
II
a 2
ff
B♭ Bs. Clar.
I
Bsns.
II
Cbn.
I.II
F Hns.
III.IV
a 2
ff
sff
I.II
C Trpts.
III
I°
f
sff
I.II
Trbs.
III
Tuba
145
ben cantando
I
Vlns.
II
div.
unis.
arco
Vlas.
ben cantando
Vlcs.
Cbs.

150
Picc.
I Fls. II
I Obs. II
Eng. Hn.
I B♭ Clars. II
B♭ Bs. Clar.
I Bsns. II
Cbn.
I. II F Hns. III. IV
I. II C Trpts. III
I. II Trbs. III
Tuba
I Vlns. II
Vlas.
Vlcs.
Cbs.
ff
sff
f
a 2
(f)
150

155
Picc.
I Fls. II
a 2
I Obs. II
Eng. Hn.
I B♭ Clars. II
B♭ Bs. Clar.
I Bsns. II
Cbs.
I. II F Hns.
III. IV
I. II C Trpts.
III
I. II Trbs.
III
Tuba
Timp.
cresc.
Tub. Bells
155
I Vlns.
II
Vlas. div.
Vlcs.
Cbs.

160
Picc.
I
Fls.
II
a 2
f
I
Obs.
II
Eng. Hn.
I
B♭ Clars.
II
♭ Bs. Clar.
I
Bsns.
II
Cbn.
ff
I.II
F Hns.
III.IV
I.II
C Trpts.
III
I.II
Trbs.
III
Tuba
Timp.
160
I
Vlns.
II
Vlas.
div.
Vlcs.
Cbs.

165
Picc.
I
Fls.
II
I
Obs.
II
Eng. Hn.
I
B♭ Clars.
II
B♭ Bs. Clar.
I
Bsns.
II
Cbn.
I.II
F Hns.
III.IV
a 2
I.II
C Trpts.
III
I.II
Trbs.
III
Tuba
Timp.
165
I
Vlns.
II
Vlas.
div.
Vlcs.
Cbs.
ff
f

170
Picc.
I
Fls.
II
I
Obs.
II
Eng. Hn.
I
Clars.
II
Bs. Clar.
I
Bsns.
II
Cbn.
I. II
F Hns.
III. IV
a 2
I. II
Trpts.
III
a 2
ff
I. II
Trbs.
III
Tuba
Timp.
ff
Change
to
170
div.
unis.
I
Vlns.
II
Vlas.
Vlcs.
Cbs.

(change to Fl. III)
175
Picc.
I
Fls.
II
I
Obs.
II
a 2
Eng. Hn.
ff
Bb Clars.
Bb Bs. Clar.
Bsns.
Cbn.
I. II
F Hns.
III. IV
C Trpts.
III
f
Trbs.
Tuba
Timp.
Vlns.
Vlas.
div.
Vlcs.
Cbs.

180
fff
ff
fp
a 2
p
ff secco
mp
unis.
180

cresc. poco a poco
molto
ff
Fl. III
I Fls. II
a 2
I Obs. II
Eng. Hn.
I B♭ Clars. II
B♭ Bs. Clar.
I Bsns. II
Cbn.
I. II F Hns. III. IV
I. II C Trpts. III
I. II Trbs. III
Tuba
Timp.
Change
to
I Vlns. II
Vlas.
Vlcs.
Cbs.

185
(Change to Piccolo)
Picc.
Clar.
ff
a 2
sff
Solo
f
pizz.
arco

190
Picc.
I Fls. II
I Obs. II
Eng. Hn.
I B♭ Clars. II
B♭ Bs. Clar.
I Bsns. II
Cbn.
I.II F Hns. III.IV
I.II Trpts. III
I.II Trbs. III
Tuba
a 2
ff
sfff
190
I Vlns. II
Vlas.
Vlcs.
Cbs.

195
agitando
Un poco più mosso (♩=132)
Picc.
I Fls. II
I Obs. II
Eng. Hn.
I Clars. II
Bs. Clar.
I Bsns. II
Cbn.
I.II F Hns. III.IV
I.II C Trpts. III
I.II Trbs. III
Tuba
Timp.
I Vlns. II
Vlas.
Vlcs.
Cbs.
a 2
8va
ff

Poco meno mosso (♩=126)
200
Picc.
I Fls. II
a 2
mf
I Obs. II
a 2
mf
Eng. Hn.
mf
I B♭ Clars. II
a 2
mf
B♭ Bs. Clar.
I Bsns. II
a 2
mf
Cbn.
I. II F Hns.
a 2
mf
III. IV
I. II C Trpts.
ff
Solo I°
mf
III
I. II Trbs.
III
Tuba
Timp.
Change
to
to
to
Poco meno mosso (♩=126)
200
I Vlns. II
Vlas.
pizz.
p
Vlcs.
pizz.
p
pizz.
Cbs.

205
Picc.
I Fls. II
I Obs. II
Eng. Hn.
I Clars. II
Bs. Clar.
I Bsns. II
Cbn.
I.II F Hns. III.IV
I.II Trpts. III
I.II Trbs. III
Tuba
I Vlns. II
Vlas.
Vlcs.
Cbs.
8va
a 2
arco
di - mi - nu - en - do

210
Fl. II
I Obs. II
B♭ Clar. II
I C Trpts. II
con sord.
dim. molto
Vl. I div.
Vl. II
Vlas. div.
Vlcs. div.
Cbs.
sensibile
cresc.
arco
215
I Bsns. II
I.II F Hns. III.IV
unis.
pizz.
I Vlns. II
Vlas. div.
Vlcs.
Cbs.

220
Picc.
I Fls. II
I Obs. II
Eng. Hn.
I B♭ Clars. II
B♭ Bs. Clar.
I Bsns. II
Cbn.
I.II F Hns. III.IV
I.II C Trpts. III
I.II Trbs. III
Tuba
I Vlns. II
Vlas.
Vlcs.
Cbs.
a 2
ff
f
8va
senza sord.
unis.
220

225
poco agitando
A Tempo I° (♩= 132)
Picc.
I Fls. II
I Obs. II
Eng. Hn.
I B♭ Clars. II
B♭ Bs. Clar.
I Bsns. II
Cbn.
I.II F Hns. III.IV
I.II Trpts. III
I.II Trbs. III
Tuba
Timp.
Tub. Bells
ff
a 2
sff
div.
I Vlns. II
Vlas. div.
Vlcs.
Cbs.

230 (2 +3)
Picc.
I Fls. II
I Obs. II
Eng. Hn.
I B♭ Clars. II
B♭ Bs. Clar.
I Bsns. II
Cbn.
I.II F Hns. III.IV
I.II C Trpts. III
I.II Trbs. III
Tuba
Timp.
Tub. Bells
a 2
8va
unis.
I Vlns. II
Vlas. div.
Vlcs.
Cbs.

(2 + 3)
235
Picc.
I Fls. II
I Obs. II
Eng. Hn.
I B♭ Clars. II
B♭ Bs. Clar.
I Bsns. II
Cbn.
I. II F Hns. III. IV
I. II C Trpts. III
I. II Trbs. III
Tuba
Timp.
Tub. Bells
I Vlns. II
Vlas. div.
Vlcs
Cbs
a 2
8va
sf
ff
f
Change
to

cresc.
240
Picc.
I Fls. II
I Obs. II
Eng. Hn.
I Clars. II
B. Clar.
I Bns. II
C. Bn.
Hns.
I.II Tpts. III
I.II Trbs. III
Tuba
Timp.
Change
Vlns.
Vlas.
Vcs.
Cbs.
a 2
unis
div.
unis.
ff
p
8va

245
Picc.
I Fls. II
I Obs. II
Eng. Hn.
I B♭ Clars. II
B♭ Bs. Clar.
I Bsns. II
Cbn.
I.II F Hns. III.IV
I.II C Trpts. III
I.II Trbs. III
Tuba
Timp.
Tub. Bells
I Vlns. II
Vlas.
Vlcs.
Cbs.
f
ff
fff
(non dim.)
lunga
mp
estinguend
pizz.
div.
p
[7:2

II

Andante mestoso (♩= 72)
Bassoons
I
II
f
mf
poco
cantando ed espressivo
Violins
Sul Re
div.
Violas
ff
Violoncellos
poco sf
Contrabasses div.
pizz.
arco
5
Bsns.
Solo
con grand'espressione
teneramente
Trpt. I
Vlns.
unis.
Vlas.
Vlcs.
Cbs.

10
I
Fls.
II
a 2
mp
a 2
ten.
f
ten.
I
Bsns.
II
I°
f
C Trpt. I
10
I
Vlns.
II
mp
cresc.
ten.
f
ten.
unis.
mp
cresc.
f
Vlas.
mp
cresc.
f
Vlcs.
mp
cresc.
f
Cbs.
f
15
Bsn. I
I
F Hns.
II
a 2
mf
C Trpt. I
Solo
mf
f
cresc.
ff
15
I
Vlns.
II
mf
f
cresc.
ff
mf
div.
unis.
f
Vlas.
mf
f
cresc.
div.
ff
Vlcs.
f
mf
f
ff
Cbs.
mf
f

20
I Fls. II
Ob. I
I Hns. II
Trpt. I
à 2
ff
f
cresc.
mf
I Vlns. II
Vlas.
Vlcs.
Cbs.
25
I Fls. II
I Obs. II
I Clars. II
I Hns. II
Iº
mp
dim.

30
Solo
Eng. Hn.
f
ff
mf
I
Vlns.
II
mp
f
mf
Vlas.
mp
f
mf
Vlcs.
mp
f
Cbs.
f
35
I
Fls.
II
a 2
mf
f
mf
I
Obs.
II
a 2
mf
B♭ Clar. I
mf
mf
35
I
Vlns.
II
f
mf
div.
unis.
div.
f
mf
Vlas.
f
mf
Vlcs.
mf
f
mf
ten.
Cbs.
mf
f
mf
ten.

40
I
Fls.
II
I
Obs.
II
(I°)
più
cresc.
a 2
a 2
mf
mp
unis.
45
mf
ff
f

50
I Fls. II
I Obs. II
B♭ Clar. I
B♭ Bs. Clar.
ff
f
50
I Vlns. II
Vlas.
Vlcs.
Cbs.
div.
cresc.
55
poco agitato
A Tempo
a 2
I Fls. II
I Obs. II
I B♭ Clars. II
B♭ Bs. Clar.
I Bsns. II
mf
55
I Vlns. II
unis.
Vlas.
Vlcs.
Cbs.

60
Fls.
Obs.
Clars.
Bs. Clar.
Bsns.
F Hns.
Vlns.
Vlas.
Vlcs.
Cbs.
cresc.
più cresc.
div.
unis.
65
poco allarg.
movendo
poco più mosso (♩=80)
dim.
Solo
Soli
Eng. Hn.

70
a 2
I Fls. II
ff
I Obs. II
ff
Eng. Hn.
I Bb Clars. II
Bb Bs. Clar.
ff
I Bsns. II
ff
75
I Fls. II
dim.
I Obs. II
dim.
ff
dim.
Eng. Hn.
ff
I Bb Clars. II
dim.
ff
dim.
Bb Bs. Clar.
I Bsns. II
f
dim.
Solo
cantando ed espressivo
C Trpt. I
mf
Vlcs.
mf

80
Tempo I° (♩=72)
I Fls. II
II°
mp
I Obs. II
mp
Eng. Hn.
mp
I Clars. II
mp
Bs. Clar.
mf
I Bsns. II
mf
I F Hns. II
I°
mp
II°
mp
C Trpt. I
80
Tempo I° (♩=72)
I Vlns. II
mp
mf
mf
f
Vlas. div.
mf
Vlcs.
Cbs.
mf

85
I
Fls.
II
I
Obs.
II
I
B♭ Clars.
II
B♭ Bs. Clar.
I
Bsns.
II
F Hn. II
Vlns.
Vlas.
Vlcs.
Cbs.
div.
unis.
pizz.
arco
Iº
f
mf
mp
p
(f)
90
Ob. I
B♭ Clar. I
C Trpt. I
Solo
unis.

95
I Obs. II
teneramente
C Trpt. I
Vlns. I div.
mp
cresc.
Vlns. II
Vlas.
Vlcs.
Cbs.
100
(non crescere!)
Eng Hn.
I Bsns. II
I°
F Hns. I II
(unis.)
I Vlns. II
mf
f

105
(non crescere!)
I Fls. II
I Obs. II
Eng. Hn.
I B♭ Clars II
I Bsns. II
I F Hns. II
I Vlns. II
Vlas.
Vlcs.
Cbs.
a 2
mf I°
II°
110
dim.
8va
lunga
morendo
pppp
div.
[7:10]

III

5
Maestoso (♩=76)
poco più mosso (♩=80)
Piccolo
Flutes I II
Oboes I II
English Horn
B♭ Clarinets I II
B♭ Bass Clarinet
Bassoons I II
Contrabassoon
F Horns I II III IV
C Trumpets I II III
Trombones I II III
Tuba
Violins I II
Violas
Violoncellos
Contrabasses
a 2
ff
ben sostenuto
mf
f
cantando, nobilmente
Sul A
Sul G

10
Picc.
I Fls. II
a 2 cantando
mf
I Obs. II
mf
Eng. Hn.
I B♭ Clars. II
a 2
mf cantando
B♭ Bs. Clar.
f
I Bsns. II
f
Cbn.
f
I.II F Hns.
mf
III.IV
mf
I.II C Trpts.
mf
f
III
mf
I.II Trbs.
III
f
Tuba
f
10
I Vlns.
mf
II
mf
Vlas.
mf
Vlcs.
f
Cbs.
f

cresc.
15
f
Picc.
I Fls. II
p
I Obs. II
p
Eng. Hn.
I Clars. II
p
Bs.Clar.
mf
I Bsns. II
mf
Cbn.
mf
cresc.
f
I.II
F Hns.
III.IV
I.II
Trpts.
III
I.II
Trbs.
III
mf
Tuba
mf
15
cresc.
f
Vlns.I div.
p cant.
f
Vlns. II div.
p
f
f
Vlas.
Vlcs.
mf
f
Cbs.
mf
f

(2 + 3)
20
Picc.
I
Fls.
II
I
Obs.
II
(a 2)
Eng. Hn.
I
B♭ Clars.
II
(a 2)
B♭ Bs. Clar.
I
Bsns.
II
(a 2)
Cbs.
I.II
F Hns.
III.IV
a 2
ff
a 2
I.II
C Trpts.
III
a 2
f
ff
ff
I.II
Trbs.
III
a 2
Tuba
(2 + 3)
20
I
Vlns.
II
unis.
unis.
Vlas.
Vlcs.
Cbs.

25
Picc.
I
Fls.
II
a 2
I
Obs.
II
a 2
Eng. Hn.
I
♭ Clars.
II
a 2
Bs. Clar.
I
Bsns.
II
Cbn.
I.II
F Hns.
III.IV
I.II
Trpts.
III
I.II
Trbs.
III
Tuba
25
I
Vlns.
II
Vlas.
div.
unis.
Vlcs.
Cbs.

cresc. poco a poco
30
Picc.
I
Fls.
II
I
Obs.
II
Eng. Hn.
I
B♭ Clars.
II
B♭ Bs. Clar.
I
Bsns.
II
Cbn.
I.II
F Hns.
III.IV
I.II
C Trpts.
III
I.II
Trbs.
III
Tuba
I° Solo
cresc.
mf
a 2
I
Vlns.
II
Vlas.
Vlcs.
Cbs.
div.
unis.

cresc. sempre
35
Picc.
Fls.
Obs.
Hn.
Clars.
Clar.
Bns.
Cbn.
Hns.
Tpts.
Tbs.
Tuba
a 2
ff
(I°)
Vlns.
Vlas.
Vcs.
Cbs.
div.
unis.

accel. poco a poco
40
Picc.
I Fls. II
I Obs. II
Eng. Hn.
I B♭ Clars. II
B♭ Bs. Clar.
I Bsns. II
Cbn.
I.II F Hns. III.IV
I.II C Trpts. III
I.II Trbs. III
Tuba
ff
8va
a 2
f
cresc.
accel. poco a poco
40
8va
I Vlns. II
Vlas.
Vlcs.
Cbs.

Adagio
sub. p cresc. poco a poco
45
acceler.
Picc.
I
Fls.
II
I
Obs.
II
a 2
p
sub. p cresc. poco a poco
acceler.
Adagio
sub. p cresc. poco a poco
45
acceler.

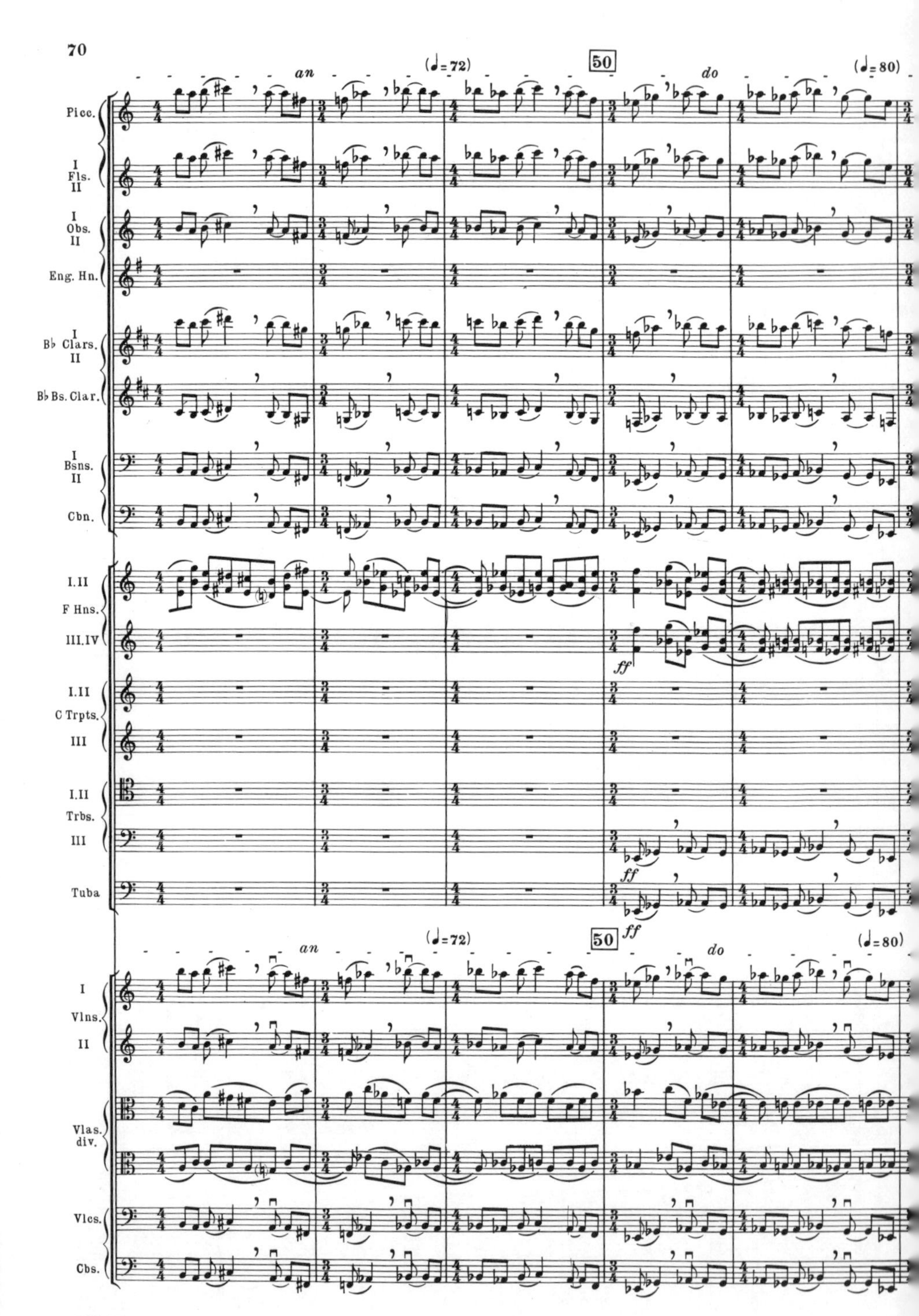
an
(♩=72)
50
do
(♩=80)
Picc.
I Fls. II
I Obs. II
Eng. Hn.
I B♭ Clars. II
B♭ Bs. Clar.
I Bsns. II
Cbn.
I.II F Hns. III.IV
ff
I.II C Trpts. III
I.II Trbs. III
ff
Tuba
ff
an
(♩=72)
50
do
(♩=80)
I Vlns. II
Vlas. div.
Vlcs.
Cbs.

Allegro Vivo (𝅗𝅥=144)
55
Picc.
I Fls. II
I Obs. II
Eng. Hn.
I Clars. II
Bs. Clar.
I Bsns. II
Cbn.
I.II F Hns. III.IV
I.II Trpts. III
I.II Trbs. III
Tuba
Allegro Vivo (𝅗𝅥=144)
55
I Vlns. II
Vlas. div.
Vlcs.
Cbs.
ff
8va
a 2
I°

Picc.
I Fls. II
I Obs. II
Eng. Hn.
I B♭ Clars. II
B♭ Bs. Clar.
I Bsns. II
Cbn.
I.II F Hns. III.IV
I.II C Trpts. III
I.II Trbs. III
Tuba
I Vlns. II
Vlas.
Vlcs.
Cbs.
(2 + 3)
a 2
ff
(a 2)
(I°)
fff ritmico e con fuoco
fff
unis.
div.
pizz.

60
Picc.
I Fls. II
a 2
ff
I Obs. II
Eng. Hn.
I Clars. II
Bs. Clar.
I Bsns. II
Cbn.
I.II
F Hns.
III.IV
giubilioso
I.II
Trpts.
III
I.II
Trbs.
III
Tuba
Timp.
60
I
Vlns.
II
arco
div.
unis.
Vlas.
Vlcs.
Cbs.

65
Picc.
I
Fls.
II
a 2
ff
I
Obs.
II
Eng. Hn.
I
B♭ Clars.
II
B♭ Bs. Clar.
I
Bsns.
II
Cbn.
I.II
F Hns.
III.IV
f
ff
I.II
C Trpts.
III
I.II
Trbs.
III
Tuba
Timp.
Change
to
65
I
Vlns.
II
div.
unis.
Vlas.
Vlcs.
Cbs.

70
Picc.
I Fls. II
I Obs. II
Eng. Hn.
I B♭ Clars. II
B♭ Bs. Clar.
I Bsns. II
Cbn.
I.II F Hns. III.IV
I.II C Trpts. III
I.II Trbs. III
Tuba
I Vlns. II
Vlas.
Vlcs.
Cbs.
a 2
con sord.
8va

75
Picc.
I Fls. II
I Obs. II
Eng. Hn.
I B♭ Clars. II
B♭ Bs. Clar.
I Bsns. II
Cbn.
I.II F Hns. III.IV
I.II C Trpts. III
I.II Trbs. III
Tuba
I Vlns. II
Vlas.
Vlcs.
Cbs.
a 2 con sord.
a 2
Iº Solo
ten.
8va
mf
mp
p
sfz
f
dim.

80
Picc.
I Fls. II
a 2
p
mp
mf
I Obs. II
Iº Solo
ten.
mp
mf
a 2
mf
Eng. Hn.
mf
I B♭ Clars. II
(Iº)
a 2
mp
mf
f
B♭ Bs. Clar.
mf
I Bsns. II
f
Cbn.
I.II F Hns. III.IV
I.II C Trpts. III
I.II Trbs. III
Tuba
80
I Vlns. II
mf
mf
Vlas.
mp
mf
f
div.
pizz.
div.
f
Vlcs.
sempre p
Cbs.
sempre p

85
Picc.
mf
I
Fls.
II
a 2
f
I
Obs.
II
f
f
Eng. Hn.
I
B♭ Clar.
II
f
B♭ Bs. Clars.
I
Bsns.
II
Cbn.
I.II
F Hns.
III.IV
(senza sord.)
mp
mf
I.II
C Trpts.
III
I.II
Trbs.
III
Tuba
85
8va
I
Vlns.
II
f
f
Vlas.
div.
Vlcs.
cresc.
poco
a
poco
Cbs.
cresc.
poco
a
poco

90
sempre crescendo
Picc.
I Fls. II
I Obs. II
Eng. Hn.
I Clars. II
Bs. Clar.
I Bsns. II
Cbn.
sempre crescendo
(senza sord.)
I.II
F Hns.
III.IV
I.II Trpts. III
I.II Trbs. III
Tuba
90
sempre crescendo
div.
I Vlns. II
arco
Vlas. div.
Vlcs.
Cbs.

95
Picc.
I Fls. II
a 2
I Obs. II
Eng.Hn.
I B♭ Clars. II
B♭ Bs.Clar.
I Bsns. II
Cbn.
I.II F Hns. III.IV
I.II C Trpts. III
I.II Trbs. III
Tuba
95
unis.
I Vlns. II
Vlas.
Vlcs.
Cbs.

100
(3 + 2)
Picc.
I
Fls.
II
I
Obs.
II
Eng. Hn.
I
Clars.
II
Bs. Clar.
I
Bsns.
II
Cbn.
I.II
F Hns.
III.IV
I.II
Trpts.
III
I.II
Trbs.
III
Tuba
Timp.
100
(3 + 2)
I
Vlns.
II
Vlas.
Vlcs.
Cbs.

105
(2 + 3)
Picc.
I Fls. II
8va
loco
I Obs. II
Eng. Hn.
I B♭ Clars. II
B♭ Bs. Clar.
I Bsns. II
Cbn.
I.II F Hns. III.IV
ff
I.II C Trpts. III
a 2
ff
I.II Trbs. III
con fuoco
Tuba
ff
Timp.
Change
105
(2 + 3)
I Vlns. II
Vlas.
Vlcs.
Cbs.
ff

110
Picc.
8va
I Fls. II
a 2 cant.
ff
cant.
I Obs. II
Eng. Hn.
I Clars. II
cant.
B. Clar.
ff
I Bsns. II
a 2
a 2 cant.
Cbn.
I.II Hns. III.IV
I.II Trpts. III
Iº
f
I.II Trbs. III
Tuba
110
8va
I Vlns. II
spianato e chiaro
p
mp
Vlas.
div.
unis.
Vlcs.
Cbs.

115
Picc.
I
Fls.
II
I
Obs.
II
Eng. Hn.
I
B♭ Clars.
II
B♭ Bs. Clar.
I
Bsns.
II
ff
115
I
Vlns.
II
Vlas.
Vlcs.
Cbs.
p
mp
cresc.
mf
mf

120
Hn.
120
molto
cresc.
cresc.

125
Picc.
I
Fls.
II
I
Obs.
II
Eng. Hn.
I
B♭ Clars.
II
B♭ Bs. Clar.
I
Bsns.
II
Cbn.
I.II
F Hns.
III.IV
I.II
C Trpts.
III
I.II
Trbs.
III
Tuba
125
I
Vlns.
II
Vlas.
Vlcs.
Cbs.
ff
f
mp
molto
a 2
div.

130
Picc.
I Fls. II
I Obs. II
Eng. Hn.
I ♭ Clars. II
Bs. Clar.
I Bsns. II
Cbn.
I.II F Hns. III.IV
II.I C Trpts. III
I.II Trbs. III
Tuba
I Vlns. II
Vlas.
Vlcs.
Cbs.
a 2
ff
p
div.

135
cresc.
Picc.
I
Fls.
II
ff
a2
I
Obs.
II
Eng. Hn.
I
B♭ Clar.
II
B♭ Bs. Clar.
I
Bsns.
II
Cbn.
I. II
F Hns.
III. IV
I. II
C Trpts.
III
I. II
Trbs.
III
f
Tuba
135
cresc.
div.
unis.
I
Vlns.
II
Vlas.
div.
Vlcs.
Cbs.

140
Picc.
I
Fls.
II
I
Obs.
II
Eng. Hn.
I
Clars.
II
B. Clar.
I
Bsns.
II
Cbn.
I.II
F Hns.
III.IV
I.II
Trpts.
III
I.II
Trbs.
III
Tuba
fff
ff
140
div.
I
Vlns.
II
Vlas.
div.
Vlcs.
Cbs

145
cresc.
Picc.
I Fls. II
a 2
8va
ff
I Obs. II
Iº
p
Eng. Hn.
f
p
I B♭ Clars. II
B♭ Bs. Clar.
I Bsns. II
Cbn.
I.II F Hns. III.IV
p
I.II C Trpts. III
I.II Trbs. III
Tuba
Timp.
mf
I Vlns. II
unis.
dim. molto
Vlas.
Vlcs.
Cbs.

150
più cresc.
Picc.
I Fls. II
I Obs. II
Eng.Hn.
I B♭ Clars. II
B♭ Bs. Clar.
I Bsns. II
Cbn.
I.II F Hns. III.IV
I.II C Trpts. III
I.II Trbs. III
Tuba
Timp.
f
150
più cresc.
I Vlns. II
Vlas.
Vlcs.
div.
Cbs.

molto
155
Picc.
I Fls. II
a 2
I Obs. II
Eng. Hn.
I B♭ Clars. II
B♭ Bs. Clar.
I Bsns. II
Cbn.
I.II F Hns. III.IV
ff giubilioso
I.II C Trpts. III
I.II Trbs. III
Tuba
Timp.
Change (♭a to ♮a to b)
I Vlns. II
div.
unis.
non div.
Vlas.
Vlcs.
Cbs.

160
Picc.
I
Fls.
II
I
Obs.
II
Eng. Hn.
I
B♭ Clars.
II
B♭ Bs. Clar.
I
Bsns.
II
Cbn.
I.II
F Hns.
III.IV
I.II
Trbs.
III
Tuba
I
Vlns.
II
Vlas.
Vlcs.
Cbs.
a 2
8va
ff

165
Picc.
I Fls. II
I Obs. II
Eng. Hn.
I B♭ Clars. II
B♭ Bs. Clar.
I Bsns. II
Cbn.
I.II F Hns. III.IV
I.II Trbs. III
Tuba
I Vlns. II
Vlas.
Vlcs.
Cbs.
a 2 con sord.
a 2
dim.

170
Picc.
I
Fls.
II
a 2
p
mp
mf
I
Obs.
II
Iº Solo
ten.
mf
Eng. Hn.
mf
I
Clars.
II
Iº Solo
ten.
mf
Bs. Clar.
p
mf
I
Bsns.
II
Cbn.
I.II
F Hns.
III.IV
p
170
I
Vlns.
II
p
mf
p
mf
Vlas.
p
mp
mf
Vlcs.
p
sempre p
Cbs.
p
sempre p

175
Picc.
I Fls. II
I Obs. II
Eng. Hn.
I B♭ Clars. II
B♭ Bs. Clar.
I Bsns. II
Cbn.
I. II
F Hns.
III. IV
senza sord.
175
I
Vlns.
II
Vlas. div.
pizz.
Vlcs.
Cbs.
mf
a 2
f
mp
8va
cresc.
poco
a
poco

180
sempre crescendo
Picc.
I
Fls.
II
I
Obs.
II
Eng. Hn.
I
Clars.
II
B. Clar.
I
Bsns.
II
Cbn.
(senza sord.)
I.II
Hns.
III.IV
I.II
Trpts.
III
I.II
Trbs.
III
Tuba
div.
I
Vlns.
II
arco
Vlas.
div.
Vlcs.
Cbs.

185
Picc.
I Fls. II
8va
I Obs. II
ff
Eng. Hn.
I B♭ Clars. II
B♭ Bs.Clar.
I Bsns. II
a 2
Cbn.
I.II
F Hns.
III.IV
I.II
C Trpts.
III
giubilioso
I.II
Trbs.
III
Tuba
Timp.
185
unis.
I
Vlns.
II
Vlas.
Vlcs.
Cbs.

190
poco allarg.
Meno mosso (♩= 126)
Picc.
I Fls. II
I Obs. II
E. Hn.
I Clars. II
B. Clar.
I Bsns. II
Cbn.
I.II Hns. III.IV
I.II Trpts. III
I.II Trbs. III
Tuba
Timp.
Tub. Bells
a 2
(bells up)
(ord.)
Change
ff
poco allarg.
Meno mosso (♩= 126) 190
I Vlns. II
Vlas.
Vlcs.
Cbs.
div.
unis.
div.

agitando
(2 + 3)
195
Più mosso (♩=132)
Picc.
I Fls. II
I Obs. II
Eng. Hn.
I B♭ Clars. II
B♭ Bs. Clar.
I Bsns. II
Cbn.
I.II F Hns. III.IV
I.II C Trpts. III
I.II Trbs. III
Tuba
Timp.
Tub. Bells
I Vlns. II
Vlas.
Vlcs.
Cbs.
8va
a 2
(ord. pos.)
unis.
div.
ff

(2 + 3)
Picc.
I Fls. II
I Obs. II
Eng. Hn.
I Clars. II
B. Clar.
I Bsns. II
Cbn.
I. II Hns. III IV
I. II Trpts. III
I. II Trbs. III
Tuba
Timp.
Change to to
Tub. Bells
(2 + 3)
I Vlns. II
Vlas.
Vlcs.
Cbs.
a 2
8va
div.
unis.
ff

200
Picc.
I Fls. II
I Obs. II
Eng. Hn.
I B♭ Clars. II
B♭ Bs. Clar.
I Bsns. II
Cbn.
I.II F Hns. III.IV
I.II C Trpts. III
I.II Trbs. III
Tuba
Timp.
Change (D to G, B♭ to A, G to E)
200
I Vlns. II
Vlas.
Vlcs.
Cbs.
p
cresc.
a 2
8va
ff
f
unis.

205
8va
molto
Picc.
I
Fls.
II
a 2
ff
I
Obs.
II
Eng. Hn.
I
B♭ Clars.
II
B♭ Bs. Clar.
I
Bsns.
II
Cbn.
I. II
F Hns.
III. IV
I. II
C Trpts.
III
con fuoco
fff
I. II
Trbs.
III
Tuba
Tub.
Bells
205
I
Vlns.
II
Vlas.
Vlcs.
Cbs.

210
8va
Picc.
I
Fls.
II
I
Obs.
II
Eng. Hn.
I
B♭ Clars.
II
B♭ Bs. Clar.
I
Bsns.
II
Cbn.
a 2
I.II
F Hns.
III.IV
I.II
C Trpts.
III.
fff
ff
sffz p
cresc. molto
I.II
Trbs.
III
Tuba
Timp.
secco
Tub. Bells
Cymbs.
210
I
Vlns.
II
Vlas.
Vlcs.
Cbs.

"Yaddo"
Saratoga Springs, N.Y.
7 February, 1941

Compositions by

DAVID DIAMOND

In the catalogs of SOUTHERN MUSIC PUBLISHING CO. INC.

COMPOSITIONS FOR RENT

SMALL (CHAMBER)· ORCHESTRA

	Approximate Duration
Concerto for Chamber Orchestra ...... (1-1-1-1, 2-1-0-0, timp., str.)	15
Heroic Piece ...... (1-2-1-1, 2-1-1-1, perc., str.)	11

LARGE ORCHESTRA

Aria and Hymn ...... (3-3-picc. clarinet-3-3, 4-3-3-1, timp., perc., harp, piano, str.)	13
Concert Piece ...... (2-2-2-2, 2-3-2-0, timp., perc., piano, str.)	11
Overture ...... (3-3-picc. clarinet-3-3, 4-3-3-1, timp., perc., harp, str.)	4½
Sinfonia Concertante ...... (2-2-1-1, 1-3-3-1, timp., perc., harp, piano, str.)	23½
Symphony No. 1 ...... (3-3-3-3, 4-3-3-1, timp., perc., str.)	20
Symphony No. 2 ...... (3-3-3-3, 4-3-3-1, timp., perc., str.)	34
Symphony No. 3 ...... (3-3-3-3, 4-4-3-1, timp., perc., piano, harp, str.)	36
Symphony No. 5 ...... (3-3-picc. clarinet-3-3, 4-3-picc. trumpet-3-1, timp., perc., str.)	17
Symphony No. 7 ...... (3-3-4-3, 4-4-3-1, timp., perc., piano, harp, str.)	16
Symphony No. 8 ...... (3-3-4-3, 4-4-3-1, timp., perc., piano, harp, str.)	28
The Enormous Room ...... (3-3-3-3, 4-3-3-1, timp., perc., harp, str.)	11
The World of Paul Klee ...... (3-3-3-2, 4-3-3-0, timp., perc., cel. (piano), harp, str.) Full Score (6 x 9) published for sale – $3.50	12

PIANO AND ORCHESTRA

Concertino for Piano and Orchestra ...... (2-2-2-2, 2-2-3-0, timp., perc., str.)	12
Concerto for Piano and Orchestra ...... (piano solo, 3-3-3-2, 4-2-3-1, timp., perc., str.)	22

VIOLIN AND ORCHESTRA

Concerto No. 1 for Violin and Orchestra ...... (violin solo, 3-3-5-3, 4-2-2-1, timp., perc., piano, harp, str.)	25

VIOLONCELLO AND ORCHESTRA

Concerto for Violoncello and Orchestra ...... (violoncello solo, 3-3-3-2, 4-2-2-1, timp., perc., piano, str.)	23

MEN'S CHORUS (T.T.B.B.) AND ORCHESTRA

The Martyr for Men's Chorus (TTBB) and Orchestra	10

BARITONE SOLO, CHORUS AND ORCHESTRA

This Sacred Ground ...... (baritone solo (a-e), mixed chorus, children's chorus, 3-3-3-3, 4-3-3-1, timp., perc., harp, str.) Vocal Score with Piano Reduction published for sale – .65	15

BASS-BARITONE SOLO, TENOR SOLO, MIXED CHORUS AND ORCHESTRA

To Music – Choral Symphony ...... (Tenor solo, bass-baritone solo, mixed chorus, 3-3-4-3, 6-4-3-1, timp., perc., piano, harp, str.)	20

SOUTHERN MUSIC PUBLISHING CO. INC.
1619 Broadway, New York, N.Y. 10019